JOHANNES BRAHMS

LIEBESLIEDER
NEUE LIEBESLIEDER

Walzer für vier Singstimmen
und Klavier zu vier Händen
op. 52 und 65

Herausgegeben von / Edited by
Kurt Soldan

Partitur / Score

C. F. PETERS

FRANKFURT/M. · LEIPZIG · LONDON · NEW YORK

LIEBESLIEDER

WALZER

(Aus „Polydora" von Daumer)

Nr. 1 Rede, Mädchen, allzu liebes

Johannes Brahms, Op. 52 Nr. 1

6

8

Nr. 2 Am Gesteine rauscht die Flut

Op. 52 Nr. 2

Nr. 3 O die Frauen

Nr. 4 Wie des Abends schöne Röte

Op. 52 Nr. 4

Wie des A-bends schö - ne Rö - te möcht ich

ar - me Dir - ne glühn, glühn, Ei - nem, Ei - nem

zu Ge - fal - len son - der En - de Won - ne sprühn. sprühn.

Nr. 5 Die grüne Hopfenranke

Op. 52 Nr. 5

Nr. 6 Ein kleiner, hübscher Vogel

Op. 52 Nr. 6

17

18

Nr. 7 Wohl schön bewandt war es

Op. 52 Nr. 7

Wohl schön be-wandt war es vor e-he mit mei - nem Le-ben, mit mei - ner Lie-be;
durch ei-ne Wand, ja, durch zehn Wän-de er - kann - te mich des Freun - des

Se-he. Doch je - tzo, we - he, wenn ich dem Kal - ten auch noch so dicht vorm Au - ge

ste - he, es _ merkts sein Au-ge, sein Her - - - ze nicht.

10514

Nr. 8 Wenn so lind dein Auge mir

Op. 52 Nr. 8

Sopran: Wenn so lind dein Au-ge mir und so lieb--lich schau-et, je-de letz-te Trü-be flieht, wel-che mich um-grau--et.

Alt: Wenn so lind dein Au-ge mir und so lieb--lich schau-et, je-de letz-te Trü-be flieht, wel-che mich um-grau--et.

Tenor: Wenn so lind dein Au-ge mir und so lieb--lich schau-et, je-de letz-te Trü-be flieht, wel-che mich um-grau--et.

Baß: Wenn so lind dein Au-ge mir und so lieb--lich schau-et, je-de letz-te Trü-be flieht, wel-che mich um-grau--et.

Nr. 9 Am Donaustrande

Op. 52 Nr. 9

aus.   Das Mädchen, es ist   wohl gut ge - hegt,

aus.   Das Mäd - chen ist   wohl gut ge - hegt,

aus.   Das Mäd - chen ist   wohl gut ge - hegt,

cantando

zehn ei - ser - ne Rie - - gel sind vor die Tü - re ge - legt.

zehn ei - ser - ne Rie - gel sind vor die Tü - re ge - legt.

zehn ei - ser - ne Rie - gel sind vor die Tü - re ge - legt.

10514

stran - de, da steht ein Haus, _____ da

de, da steht ein Haus, _____ da schaut, da

stran - de, da steht, da steht ein Haus, _____ da schaut, da

schaut ein ro - si - ges Mäd - chen ___ aus.

schaut ein ro - si - ges Mäd - chen aus.

schaut ein ro - si - ges Mäd - chen aus.

I.

II.

I.

rit.   *pp*

II.

rit.   *pp*

Nr. 10 O wie sanft die Quelle

Op. 52 Nr. 10

10514

Nr. 11 Nein, es ist nicht auszukommen

Op. 52 Nr. 11

10514

Nr. 12 Schlosser auf, und mache Schlösser

Op. 52 Nr. 12

10514

Nr. 13 Vögelein durchrauscht die Luft

Op. 52 Nr. 13

Nr. 14 Sieh, wie ist die Welle klar

Op. 52 Nr. 14

Nr. 15 Nachtigall, sie singt so schön

Op. 52 Nr. 15

38

Nr. 16 Ein dunkeler Schacht ist Liebe

Op. 52 Nr. 16

Nr. 17 Nicht wandle, mein Licht

Op. 52 Nr. 17

All ü-ber-strömt sind dort die We-ge, die Ste - ge dir;

legato cresc.

legato cresc.

so ü - ber - reich - lich trän - - te dor - ten das

Au - - ge mir. mir.

Nr. 18 Es bebet das Gesträuche

Op.52 Nr. 18

10514

NEUE LIEBESLIEDER

WALZER

(Aus „Polydora" von Daumer
mit Ausnahme von Nr. 15 von Goethe)

Nr. 1 Verzicht, o Herz, auf Rettung

Op. 65 Nr. 1

Nr. 2 Finstere Schatten der Nacht

Op. 65 Nr. 2

Neue Liebeslieder Walzer

Verzicht, o Herz, auf Rettung,
Relinquish, o heart, the hope of rescue

dich wagend in der Liebe Meer!
as you venture out into the sea of love!

Denn tausend Nachen schwimmen
For a thousand boats float

zertrümmert am Gestad umher!
wrecked about its shores!

Finstere Schatten der Nacht,
Dark shades of night,

Wogen- und Wirbelgefahr!
dangers of waves and whirlpools!

Sind wohl, die da gelind
Are those who rest there so mildly

rasten auf sicherem Lande,
on firm ground

euch zu begreifen im Stande?
capable of comprehending you?

Das ist der nur allein,
No: only one who

welcher auf wilder See
is tossed about on the wild sea's

stürmischer Öde treibt,
stormy desolation,

Meilen entfernt vom Strande.
miles from the shore.

Vom Gebirge Well auf Well
From the mountains, wave upon wave,

kommen Regengüsse,
come gushing rain;

und ich gäbe dir so gern
and I would gladly give you

hunderttausend Küsse.
a hundred thousand kisses.

Weiche Gräser im Revier,
Soft grass in my favorite haunts,

schöne, stille Plätzchen!
fair, quiet spots!

O, wie linde ruht es hier
O how pleasant it is to linger here

sich mit einem Schätzchen!
with one's darling!

Schwarzer Wald, dein Schatten ist so düster!
Dark forest, your shade is so gloomy!

Armes Herz, dein Leiden ist so drückend!
Poor heart, your sorrow presses so heavily!

Was dir einzig wert, es steht vor Augen;
The only thing valuable to you is standing before your eyes;

ewig untersagt ist Huldvereinung.
eternally forbidden is that union with love.

Flammenauge, dunkles Haar,
Flaming eyes, dark hair,

Knabe wonnig und verwogen,
sweet and audacious boy,

Kummer ist durch dich hinein
because of you my poor heart

in mein armes Herz gezogen!
toils with sorrow!

Kann in Eis der Sonne Brand,
Can the sun's fire make ice,

sich in Nacht der Tag verkehren?
or turn day into night?

Kann die heisse Menschenbrust
Can the ardent breast of a man

atmen ohne Glutbegehren?
breathe without glowing desire?

Ist die Flur so voller Licht,
Is the field so full of light

daß die Blum' im Dunkel stehe?
that the flowers stand in darkness?

Ist die Welt so voller Lust,
Is the world so full of joy

daß das Herz in Qual vergehe?
that the heart is abandoned to torment?

Nun, ihr Musen, genug!
Now, you Muses, enough!

Vergebens strebt ihr zu schildern,
In vain you strive to describe

wie sich Jammer und Glück
how misery and happiness

wechseln in liebender Brust.
alternate in a loving breast.

Heilen könnet die Wunden
You cannot heal the wounds

ihr nicht, die Amor geschlagen,
that Amor has caused,

aber Linderung kommt einzig,
but solace can come

ihr Guten, von euch.
only from you, Kindly Ones.

Are those who rest there so mildly on

firm ground   capable of comprehending you?

No: only one who is tossed about

the wild sea's stormy desolation   miles

from the Shore

threatening ending
1. 2. off

Sit

Nr. 3 *)An jeder Hand die Finger

Op. 65 Nr. 3

Nr. 4 Ihr schwarzen Augen

Op. 65 Nr. 4

Nr. 5 Wahre, wahre deinen Sohn

Op. 65 Nr. 5

Nr. 6 Rosen steckt mir an die Mutter

Op. 65 Nr. 6

Nr. 7 Vom Gebirge Well auf Well

Op. 65 Nr. 7

Nr. 8 Weiche Gräser im Revier

Op. 65 Nr. 8

Nr. 9 Nagen am Herzen fühl ich

Op. 65 Nr. 9

Na - gen am Her - zen fühl_ ich ein Gift mir;

mir; kannsichein Mäd - chen, oh - ne zu fröh - nen zärt - li - chem Hang, fas - sen ein

gan - zes, ein gan - zes, gan - zes won - ne - be - raub - tes Le - ben_ ent - lang?

Nr. 10 Ich kose süß mit der und der

Op. 65 Nr. 10

Ich ko - se süß__ mit der__ und der und wer - de still__ und kran - ke,

denn e - wig, e - wig kehrt zu dir, o Non - na,

o Non - na, mein__ Ge - dan - ke! ke!

10514

Nr. 11 Alles, alles in den Wind

Op. 65 Nr. 11

10514

Nr. 12 Schwarzer Wald, dein Schatten

Op. 65 Nr. 12

presses so heavily

The only thing valuable to you is standing

before your eyes; eternally

forbidden is that union with love.

Nr. 13 Nein, Geliebter, setze dich

Op. 65 Nr. 13

Nr. 14 Flammenauge, dunkles Haar

Op. 65 Nr. 14

Can the sun's fire make ice or turn day into night?

Can the ardent breast of a man breathe without growing desire?

Nr.15 Zum Schluß

(Goethe)

Op. 65 Nr. 15

uh like foot

A You cannot heal wounds

that Amor has caused,

But solace can come only from you,

Kindly Ones.

ANHANG
Nr. 3. An jeder Hand die Finger
(In tiefer Ausgabe)

Op. 65 Nr. 3

An je - der Hand die Fin - ger hatt ich be-

deckt mit Rin - - - gen, die mir ge - schenkt mein

Bru - - der in sei - nem Lie - bes - sinn._____

INHALT

LIEBESLIEDER
Walzer für Klavier zu 4 Händen und Gesang ad lib.

NEUE LIEBESLIEDER
Walzer für 4 Singstimmen und Klavier zu 4 Händen

Darker View of Love

ANHANG

NB. Soweit nicht anders angegeben sind die Liebeslieder für Sopran, Alt, Tenor und Baß.